*L'homme est le reflet*
*de ses pensées !*

DISTRIBUTION:

• *Pour le Canada:*
AGENCE DE DISTRIBUTION POPULAIRE INC.
955, rue Amherst, Montréal H2L 3K4
(Tél.: (514) 523-1182)

• *Pour la Belgique:*
VANDER, S.A.
Avenue des Volontaires 321, B-1150 Bruxelles, Belgique
(Tél.: 02-762-9804)

Conception graphique de la couverture:
PHILIPPE BOUVRY

ISBN: 2-920000-03-9

# l'homme est le reflet de ses pensées

(As a Man Thinketh)

James Allen

Les éditions Un monde différent ltée
3400, boulevard Losch, local 8
Saint-Hubert, QC
Canada J3Y 5T6

« L'esprit est la toute-puissance qui pétrit et
                                        façonne,
Et l'homme est esprit et lorsqu'il prend
L'outil de la pensée, et façonne ce qu'il
                                        façonne,
Il recevra la joie et la souffrance en
                        conséquence : —
Il pense en secret, cela passe :
L'environnement n'est rien d'autre que son
                                miroir. »

## AVANT-PROPOS

Ce petit volume ( le résultat de la méditation et de l'expérience ) n'est pas un traité complet d'un sujet très populaire, celui du pouvoir de la pensée. Il est plus évocateur qu'explicatif, son but étant d'amener hommes et femmes à la découverte et à la perception d'une vérité, à savoir :

« Eux et eux seuls sont responsables de ce qu'ils sont ».

en vertu des pensées qu'ils choisissent et encouragent ; et parce que l'esprit est le maître-tisserand de la trame du caractère et de celle des circonstances ; et tout comme ils ont, jusqu'à présent, tissé dans l'ignorance et dans la souffrance, ils peuvent maintenant tisser dans la connaissance et dans la joie.

James Allen

# Index

*La pensée et le caractère*

## La pensée et le caractère

L'aphorisme « Un homme est le reflet de ses pensées » ne s'applique pas uniquement à l'être humain ; son sens très large lui fait embrasser toutes les conditions et circonstances de notre vie ; un homme est, littéralement, *le reflet de ce qu'il pense*, son caractère étant la somme complète de toutes ses pensées.

Tout comme une plante sort de la graine, sans laquelle elle ne pourrait exister, nos actions prennent naissance dans les graines secrètes de la pensée, et ne peuvent se concrétiser sans elle. Ceci s'applique autant aux actions dites « spontanées » et « non préméditées » qu'à celles exécutées de façon délibérée.

L'action est la fleur de la pensée, la joie et la souffrance en étant les fruits ; ainsi l'homme récolte-t-il les fruits doux et amers de ce qu'il a semé.

> « *Nous sommes ce que sont nos pensées. Ce que nous devenons, nous l'avons forgé et construit. Lorsque l'esprit de l'homme engendre des pensées mauvaises, la souffrance suit, comme la nuit suit le jour... La joie accompagne celui qui persiste dans la pureté de ses pensées.* »

L'homme croît sans cesse, c'est la loi ; il ne se crée pas artificiellement et le principe de cause à effet est tout aussi absolu et constant dans le royaume caché des idées que dans le monde matériel et visible. Une nature noble et à l'image de Dieu n'est pas un hasard ni une chance ; elle est le résultat naturel d'un effort continuel de pensée positive, l'effet d'une association longtemps désirée avec des pensées pures. Une nature ignoble et bestiale, d'après le même principe, se retrouve chez ceux qui nourrissent sans arrêt des pensées basses.

L'homme se fait et se défait lui-même ; dans l'arsenal de son esprit, il forge les armes qui le détruiront, mais il façonne également les outils avec lesquels il construira les abris célestes de joie, de force et de paix. Par un juste choix et une mise en oeuvre conforme de ses pensées, l'homme atteint la perfection divine ; par l'abus et une mauvaise application de ses pensées, il se rabaisse au niveau de la bête et plus bas encore. Entre ces deux extrêmes se trouvent différents caractères, dont l'homme est le seul maître et le seul responsable.

Parmi toutes les vérités liées à l'âme récemment établies et mises en lumière, la plus réconfortante et la plus féconde en confiance et promesse divines est la suivante : l'homme est le maître de ses pensées, lui seul pétrit son caractère, il fabrique et façonne sa vie, son environnement et sa destinée.

Etre de puissance, d'intelligence et d'amour, seigneur de ses pensées, l'homme détient la clé de toutes les situations et renferme en lui-même ce pouvoir transformateur et régénérateur lui permettant d'accomplir ce que lui dicte sa volonté.

L'homme est toujours le maître, même dans les moments de faiblesse et solitude ; mais dans ces moments de faiblesse et d'abandon, il est le maître incompétent qui ne sait plus comment diriger son « domaine ». Lorsqu'il se met à réfléchir à sa condition et lorsqu'il recherche consciencieusement la Loi selon laquelle tout être humain doit vivre, il devient alors le maître sage, dirigeant son énergie avec intelligence, façonnant ses pensées en vue de conclusions positives. Tel est le maître *conscient* et l'homme ne peut le devenir qu'en découvrant à l'intérieur de lui-même les lois de la pensée ; cette découverte ne dépend que de l'application, l'introspection et l'expérience.

Ce n'est que par la recherche et la prospection que l'on découvre or et diamants et l'homme ne peut trouver les vérités liées à l'être humain qu'en creusant la mine de son âme ; il pétrit son caractère, façonne sa vie et construit sa destinée. Il peut, à condition de ne jamais dévier de la ligne qu'il s'est tracée, contrôler et modifier ses pensées, en suivant la trace de leurs effets sur lui-même, sur les autres et sur sa vie ; il peut faire les rapports de cause à effet par un entraînement patient et des recherches et en utilisant chacune de ses expériences, même les moins importantes, chacun des faits de la vie quotidienne, pour acquérir cette connaissance profonde, qui est la compréhension, la sagesse et la puissance. C'est dans ce sens, et dans aucun autre, que se trouve la loi absolue à savoir que «Celui qui cherche trouve; à celui qui frappera à la porte, on ouvrira»; car ce n'est que par la patience, l'expérience et l'importunité incessante que l'homme peut passer la porte du Temple de la Connaissance.

*L'effet des pensées*
*sur les circonstances*

## L'effet des pensées
## sur les circonstances

L'esprit de l'homme peut être comparé à un jardin, que l'on peut cultiver intelligemment ou laisser à l'abandon; qu'il soit cultivé ou négligé, ce jardin *doit produire et produit*. Si l'on n'y ensemence aucune graine utile, la mauvaise herbe s'y installera et s'y développera.

Tout comme un jardinier prend soin de sa parcelle de terre, en y arrachant les mauvaises herbes et en y plantant les fleurs et les fruits qu'il désire, l'homme peut veiller au jardin de son esprit, écartant les pensées mauvaises, inutiles et impures et amenant lentement à la perfection les fleurs et les fruits de pensées justes, utiles et pures. C'est en respectant ce principe que l'homme découvre très vite qu'il est le maître jardinier de son âme, le dirigeant de sa vie. Il découvre également en lui-même la loi de la pensée et il comprend, avec de plus en plus de précision, comment les forces de la pensée et les éléments de l'esprit se joignent pour former son caractère et influer sur les circonstances et la destinée.

La pensée et le caractère forment un tout et étant donné que le caractère ne peut se manifester et se

découvrir qu'à travers l'environnement et les circonstances, les conditions extérieures de la vie d'une
personne s'avèrent toujours en harmonie avec son état d'esprit. Cela ne
signifie pas que les circonstances
entourant la vie d'un homme à un
moment bien précis sont un indice
de son caractère, mais que ces
circonstances sont liées de façon si
étroite à l'un des principaux éléments de sa pensée que, pour le
moment, elles sont indispensables à
son développement.

Chaque homme en est là où il se
trouve par la loi de son être; les
pensées auxquelles il s'est adonné
l'ont amené là et dans tout ce qui
l'entoure, aucune place n'est laissée à
la chance : tout est le résultat d'une
loi qui ne ment jamais. Il en est de

même pour ceux qui ne se «sentent
pas à l'aise» dans leur entourage et
pour ceux qui s'y sentent bien.

L'homme étant un être qui pro-
gresse et évolue, il se trouve toujours
là où il est de façon à ce qu'il puisse
apprendre qu'il doit encore progres-
ser; et alors qu'il tire les leçons
spirituelles qui s'imposent quelles
que soient les circonstances, ces
dernières disparaissent pour laisser
la place à d'autres.

L'homme ne se sent accablé par
les circonstances que s'il croit qu'il
ne peut rien contre les influences
extérieures; mais lorsqu'il se rend
compte que lui-même est une puissance créatrice et qu'il peut contrôler
le sol et les grains cachés au plus
profond de lui-même, à partir des-
quels se développent les circonstan-

ces, il devient alors un maître intelligent.

Que les circonstances découlent de la pensée, chaque homme qui s'est exercé à la purification et à la maîtrise de lui-même pendant un certain temps le sait, car il aura pu alors remarquer que les circonstances qui l'entouraient s'étaient modifiées exactement comme il avait modifié sa condition spirituelle.

Cela est si vrai que lorsqu'un homme s'applique réellement à remédier aux défauts de son caractère et qu'il enregistre des progrès rapides et remarquables, il traverse rapidement toute une série de vicissitudes.

L'âme attire ce qu'elle héberge en secret, c'est-à-dire ce qu'elle aime, mais aussi ce qu'elle craint ; elle atteint les sommets de ses aspirations, de ce qu'elle souhaite ; elle tombe dans les abîmes des désirs impurs — et les circonstances représentent les moyens par lesquels l'âme reçoit son dû.

Toute pensée que l'on ensemence ou qu'on laisse pénétrer dans notre esprit, qui y prend racine, se développe, fleurissant tôt ou tard en une action qui porte ses propres fruits d'opportunité ou de circonstances. Les bonnes pensées amènent de bons fruits, les pensées mauvaises, des fruits mauvais.

Le monde extérieur des circonstances s'adapte au monde intérieur des pensées et les conditions externes, plaisantes ou non, sont des facteurs qui visent au bien d'un individu. L'homme récoltant lui-même ce qu'il a semé, apprend tout autant par la souffrance que par la joie.

En suivant ses désirs les plus intimes, ses aspirations, ses pensées, par lesquels il se laisse dominer ( en s'attachant à des idées impures ou en empruntant la route d'une conduite élevée et sans reproche) l'homme arrive un jour au moment de la récolte et à l'accomplissement des conditions extérieures de sa vie. Les lois de la croissance et de l'adaptation prévalent toujours.

Un homme n'arrive pas à l'hospice ou à la prison par le seul fait de la tyrannie du hasard ou des circonstances, mais par le chemin de ses pensées et de ses désirs les plus bas. De la même façon, un homme à l'esprit pur ne s'adonne pas subitement au crime sous l'influence de quelque force extérieure ; le criminel a longtemps nourri ses pensées au plus profond de son coeur et vient l'heure où la chance lui est donnée de dévoiler la puissance ainsi accumulée. Ce ne sont pas les circonstances qui font un homme ; elles lui permettent uniquement de se découvrir à lui-même. Aucune circonstance ne peut entraîner un homme au vice et à la souffrance, en dehors de penchants vicieux et aucune circonstance ne peut amener un homme à la vertu et au bonheur à moins d'une volonté continue d'aspirations vertueuses ; l'homme, en tant que seigneur et maître de ses pensées, est donc bien responsable de lui-même et de son environnement. Déjà au moment de la naissance, l'âme est indépendante et, par chacun des pas de ce pélerinage terrestre, attire les combinaisons diverses des circonstances qui l'aideront à se dévoiler et qui sont le reflet de sa pureté ou de son impureté, de sa force ou de sa faiblesse.

Les hommes n'attirent pas ce qu'ils *veulent*, mais ce qu'ils *sont*. Leurs caprices, fantaisies et ambitions sont sans cesse déjoués, mais leurs pensées et désirs les plus intimes se nourrissent d'eux-mêmes, bien ou mal. La «divinité qui nous pétrit» est en nous-même; c'est nous-même qui nous faisons. L'homme s'enchaîne lui-même : les pensées et les actions sont les geôliers du Destin — elles emprisonnent lorsqu'elles sont mauvaises; mais elles sont aussi les anges de la Liberté — elles libèrent, lorsqu'elles sont nobles. L'homme n'a pas ce qu'il souhaite et désire, il n'a que ce qu'il se mérite. Ses souhaits et prières ne sont exaucés que lorsqu'ils sont en harmonie avec ses pensées et ses actions.

A la lumière de tout ce qui précède, qu'entend-on alors par «se battre contre le destin»? Cela signifie qu'un homme se rebelle continuellement contre un *effet* extérieur alors qu'il en nourrit la *cause* dans son coeur. Cette cause peut prendre la forme d'un vice conscient ou d'une faiblesse inconsciente; mais quelle qu'elle soit, elle retarde de façon certaine les efforts de celui qui ne cesse de rechercher une solution.

Les hommes veulent tous améliorer les circonstances qui les entourent, mais sont réticents à s'améliorer eux-mêmes; ils sont donc liés.

Celui qui ne se dérobe pas à l'auto-crucifixion atteint toujours le but qu'il s'est fixé au plus profond de son coeur. Cela est aussi vrai en ce qui concerne les choses de notre monde que celles de l'au-delà. Même l'homme dont le seul but est d'acquérir des richesses doit être prêt à faire de grands sacrifices personnels avant de pouvoir atteindre son but; que dire alors de celui dont le but est de mener une vie forte et équilibrée?

Prenons l'exemple d'un homme extrêmement pauvre. Il veut absolument améliorer son confort intérieur et tout ce qui l'entoure, mais il renâcle à l'ouvrage et arrive à se convaincre qu'il a raison de ne pas donner satisfaction à son employeur, étant donné que ce dernier ne le paie pas assez. Cet homme ne comprend pas les rudiments les plus simples de ces principes qui sont à la base d'une prospérité réelle ; aussi est-il totalement incapable de se sortir de sa misère et il attire à lui une pauvreté plus grande encore en donnant asile à des pensées inhumaines, trompeuses et indolentes, qui le font agir en conséquence.

Prenons maintenant l'exemple d'un homme riche qui, lui, est victime d'une maladie tenace et pénible, résultant de sa gloutonnerie. Il est prêt à payer ce qu'il lui en coûtera pour guérir, à condition de pouvoir s'adonner librement à son vice. Il continue à manger des viandes riches et non naturelles, mais aimerait avoir la santé en même temps. Cet homme est incapable de bien se porter, car il n'a pas encore appris les principes de base d'une bonne santé.

Voici le cas d'un employeur malhonnête qui essaie, par tous les moyens, de ne pas payer les salaires qu'il doit et, dans l'espoir de faire de plus grands bénéfices, réduit la paye de ses ouvriers. Cet homme ne sera jamais capable d'être riche et lorsqu'il aura fait faillite, tant au niveau financier qu'à celui de sa réputation personnelle, il accusera les circonstances, sans savoir qu'il est le seul responsable de ce qui lui arrive.

J'ai présenté ces trois exemples uniquement pour illustrer le fait que l'homme est la seule cause ( bien que la plupart du temps, de façon inconsciente ) des circonstances et que, tout en visant un but louable, il n'arrive pas à l'atteindre car il nour-

rit en lui des pensées et des désirs qui
ne peuvent absolument pas s'har-
moniser avec ce but. On peut citer
des cas semblables à l'infini, mais
cela est inutile car le lecteur peut, s'il
le décide, tracer l'action des lois de la
pensée dans son esprit, pour sa
propre vie ; tant qu'il n'est pas arrivé
à ce point, les exemples ne suffisent
pas à l'amener à un raisonnement
sain.

Mais les circonstances sont tellement compliquées, les pensées sont
tellement enracinées et les conditions
du bonheur varient tellement d'un
individu à l'autre que la condition
*complète* de l'âme d'un homme
( bien que ce dernier puisse la con-
naître ) ne peut être jugée de l'extérieur à partir de l'aspect que les
autres perçoivent. Un homme peut

être honnête dans un certain sens, et malgré tout, être pauvre ; un autre peut être malhonnête et pourtant être riche ; la conclusion que l'on tire habituellement, à savoir qu'un homme échoue *à cause de son honnêteté* et qu'un autre réussit *grâce à sa malhonnêteté* vient d'un jugement superficiel qui assume qu'un homme malhonnête est totalement corrompu et qu'un homme honnête est en général vertueux. A la lumière d'une connaissance plus profonde et d'une expérience plus vaste, on s'aperçoit qu'un tel jugement est erroné. L'homme malhonnête peut avoir des vertus admirables que les autres n'ont pas et l'homme honnête peut abriter des vices inconnus des autres. Celui qui est honnête récolte les bons fruits de ses pensées et actions honnêtes ; mais il attire également les souffrances produites par ses vices. Il en est de même pour celui qui est malhonnête, qui a sa part de souffrance et de joie.

Il est très agréable, au niveau de la vanité humaine, de penser que l'on souffre à cause de nos vertus ; mais tant qu'un homme n'a pas réussi à se débarrasser de toutes ses pensées malsaines, amères et impures, tant qu'il n'a pas purifié son âme de toutes les traces de ses péchés, il ne peut ni savoir, ni affirmer que ces souffrances résultent de ses qualités et non pas de ses mauvais côtés ; et pendant ce temps, bien avant d'avoir atteint la perfection suprême, il aura trouvé, par l'introspection et par ses actions, les principes de la Grande Loi, toujours juste, selon laquelle le bien n'entraîne pas le mal et le mal n'entraîne pas le bien. Nanti de cette connaissance, il saura alors, en regardant son ignorance passée et son aveuglement, que sa vie est, et a toujours été, bien ordonnée et que toutes ses expériences passées, bonnes ou mauvaises, ont toujours été le résultat de son ego encore inconnu, mais en plein développement.

Des pensées et des actions positives ne peuvent jamais donner de mauvais résultats ; des pensées et des actions mauvaises ne peuvent jamais donner de bons résultats. En d'autres mots, le blé provient du blé et l'ortie n'engendre que des orties. L'homme admet cette loi en ce qui concerne la nature et s'y plie ; mais peu la comprenne en ce qui concerne le monde moral et spirituel ( bien qu'elle fonctionne exactement de la même façon et qu'elle soit tout aussi indéniable), donc coopère avec elle.

La souffrance provient *toujours* de quelque mauvaise pensée, dans un sens quelconque. Il s'agit d'une indication d'un homme qui n'est pas en harmonie avec lui-même, avec la Loi de son être. Le seul et unique but de la souffrance est de purifier, de brûler tout ce qui est inutile et impur. La souffrance quitte celui qui a atteint la pureté. Il ne sert à rien de brûler l'or une fois les scories éliminées ; c'est la même chose pour un être pur et illuminé, qui ne connaît plus la souffrance.

Les circonstances entourant la vie de celui qui souffre ne proviennent que de son désaccord spirituel. Les circonstances entourant celui qui est heureux résultent de son harmonie spirituelle. La félicité, et non pas les biens matériels, est une mesure d'une pensée juste ; l'infortune, et non pas le manque de biens matériels, est la mesure d'une pensée mauvaise. Un homme peut être maudit et riche ; il peut être heureux et pauvre. Le bonheur et la richesse ne se retrouvent que chez celui qui sait comment utiliser les biens dont il dispose ; et le pauvre ne doit son infortune qu'au fait qu'il considère ce qui lui arrive que comme un fardeau injuste.

L'indigence et l'indulgence sont les deux extrêmes de l'infortune. Toutes deux sont aussi peu naturelles l'une que l'autre et elles sont le résultat d'une confusion de l'esprit. Un homme ne se trouve pas dans une bonne condition tant qu'il n'est

pas heureux, en bonne santé et pros-
père ; or, le bonheur, la santé et la
prospérité résultent d'une adaptation
harmonieuse de l'intérieur et de
l'extérieur, de l'homme et de son
entourage.

Un homme n'est un homme que
lorsqu'il cesse de se plaindre et de
blâmer les autres, lorsqu'il commence à rechercher la justice cachée
qui contrôle sa vie. Et, au fur et à
mesure qu'il adapte son esprit à ce
principe, il cesse d'accuser les autres
des maux dont il est accablé et il
forge sa pensée vers un but plus fort
et plus noble ; il cesse de se révolter
contre les circonstances, mais commence à les *utiliser* en vue de progrès plus rapides, et s'en sert pour
découvrir les pouvoirs cachés et les
possibilités qui résident en lui.

C'est la Loi, et non la confusion, qui représente le principe dominant l'univers; c'est la justice, et non l'injustice, qui représente l'âme et la substance de la vie; c'est ce qui est juste, et non pas la corruption, qui représente la force vive qui régit le monde spirituel. Cela étant, l'homme n'a plus qu'à s'adapter au fait que l'univers est juste; et pendant cette période d'adaptation, il s'apercevra qu'il modifie sa façon de penser vis-à-vis des autres et de ce qui l'entoure et que les autres et les circonstances se modifient de la même façon en ce qui le concerne.

La preuve de cette vérité se trouve en chacun de nous et est facile à découvrir par introspection et analyse. Qu'un homme modifie sa façon de penser systématiquement et il sera étonné de la transformation rapide que cela aura sur les conditions matérielles de sa vie. On s'imagine que l'on peut tenir nos pensées secrètes, mais cela est faux; nos pensées se cristallisent rapidement en habitudes, et l'habitude se solidifie en circonstances. Des pensées bestiales se cristallisent en habitudes comme l'ivresse et la sensualité, qui se solidifient ensuite en circonstances telles la déchéance et la maladie: les pensées impures de toutes sortes se cristallisent en habitudes confuses et irrationnelles, lesquelles se solidifient en circonstances adverses et inquiétantes: la peur, le doute et l'indécision se cristallisent en habitudes faibles, inhumaines et indécises, pour se solidifier en circonstances comme l'échec, la pauvreté et la dépendance: la paresse se cristallise en malpropreté et malhonnêteté, pour se solidifier en grossièreté et mendicité : la haine et la critique se cristallisent en habitudes accusatoires et violentes, pour se solidifier sous forme d'injures et persécution : les pensées égoïstes de toutes sortes se cristallisent en habitudes d'auto-recherche, qui se solidifient ensuite en circonstances plus ou moins malheureuses. D'un autre côté, des bonnes pensées se cristallisent en habitudes de grâce et gentillesse, qui se solidifient en circonstances agréables et lumineuses : des pensées pures se cristallisent en habitudes de tempérance et de maîtrise, qui se solidifient en circonstances entraînant repos et paix : des pensées courageuses, indépendantes et décisives se cristallisent en habitudes humaines, entraînant succès, abondance et liberté : des pensées énergiques se cristallisent en propreté et diligence entraînant des circonstances plaisantes : des pensées douces et indulgentes se cristallisent en douceur, entraînant des circonstances protectrices : l'amour et la générosité se cristallisent en dévouement, se solidifiant en circonstances de véritable richesse et de prospérité.

Une certaine ligne de pensée dans laquelle on se maintient, qu'elle soit bonne ou mauvaise, ne peut qu'entraîner les résultats qui s'imposent au niveau du caractère et des circonstances. L'homme ne peut pas choisir *directement* les circonstances qui l'entourent, mais il peut choisir ses pensées et, par conséquent, indirectement, former les circonstances de sa vie.

La nature aide l'homme à recevoir ce que ses pensées habituelles lui valent et lui présente les occasions qui feront ressortir très vite ses pensées bonnes et mauvaises.

Qu'un homme abandonne ses pensées mauvaises et le monde s'adoucira à son égard, et les autres seront prêts à l'aider ; qu'il se débarrasse de ses pensées faibles et malsaines et les occasions se présenteront en quantité pour l'aider à se maintenir dans ce nouveau chemin ; qu'il encourage des pensées positives, et jamais le destin ne l'entraînera dans la honte et l'infortune. Le monde est un kaléidoscope et les différentes combinaisons des diverses couleurs qui se succèdent sont les images merveilleusement adaptées aux pensées qui ne cessent de se mouvoir.

## L'HOMME EST LE REFLET DE SES PENSÉES !

« *Vous serez ce que vous serez ;*
*Que l'échec trouve sa satisfaction*
*Dans un monde pauvre, «l'environnement»*
*Mais l'esprit le méprise, il est libre.*

« *Il contrôle le temps, il conquiert l'espace ;*
*Il intimide cette vantarde, la Chance*
*Et vainc ce tyran, les Circonstances,*
*Sans couronne, prend la place d'un serviteur.*

*La Volonté humaine, cette force cachée,*
*Bourgeon d'une âme immortelle,*
*Peut ouvrir la route vers tous les buts,*
*Même à travers des parois de granit.*

« *Ne soyez pas impatient,*
*Mais attendez, comme celui qui comprend ;*
*Lorsque l'esprit se lève et commande,*
*Les dieux sont prêts à obéir.* »

*L'effet des pensées*
*sur la santé et le corps*

## L'effet des pensées
## sur la santé et le corps

Le corps est le serviteur de l'esprit. Il obéit aux opérations de l'esprit, que celles-ci soient choisies de façon délibérée ou exprimées de façon automatique. Au commandement de pensées mauvaises, le corps sombre rapidement dans la maladie et la corruption ; au commandement de pensées heureuses et belles, le corps s'enveloppe de jeunesse et beauté.

La maladie et la santé, tout

comme les circonstances, ont leurs racines dans notre esprit. Des pensées malsaines se matérialisent par un corps maladif. On sait que la peur peut tuer un homme aussi sûrement qu'une balle, et elle tue les êtres par milliers, peut-être de façon moins rapide et moins spectaculaire. Les gens qui vivent dans la crainte de la maladie sont ceux qui tombent malades. L'angoisse démoralise rapidement notre corps et laisse libre champ à tous les maux ; les pensées impures, même si elles ne se matérialisent pas, influent très vite sur le système nerveux.

Des pensées fortes, pures et joyeuses se trouvent dans un corps plein de vigueur et de grâce. Le corps est un instrument plastique délicat, qui répond facilement aux pensées ; les habitudes laissent leurs traces, bonnes ou mauvaises.

Les hommes auront un sang impur et empoisonné tant qu'ils se plairont dans leurs pensées basses. D'un coeur pur naît une vie saine et un corps sain. D'un esprit souillé sort une vie souillée et un corps corrompu. La pensée est le moule de l'action, de la vie et de ses manifestations ; que la fontaine soit claire et tout sera clair.

Le fait de modifier son régime alimentaire ne changera rien chez celui qui ne commence pas par modifier sa façon de penser. L'homme qui a des pensées pures n'a plus envie de s'alimenter à partir d'une nourriture malsaine.

Les bonnes pensées entraînent les bonnes habitudes. Le soi-disant saint qui ne se lave pas n'est pas un saint. Celui qui renforce et purifie ses pensées ne se préoccupe pas des microbes dangereux.

Pour atteindre à la perfection du corps, il faut prendre soin de son esprit. Pour renouveler son corps, il faut améliorer son esprit. La malice, l'envie, la déception, le découragement ôtent la santé et la grâce. Un visage désagréable n'est pas un hasard ; ce sont les pensées qui le rendent désagréable. Les rides qui le marquent sont celles de la sottise, de la passion, de l'orgueil.

Je connais une femme de quatre-vingt-seize ans qui a le visage innocent et gracieux d'une jeune fille. Je connais un homme dans la quarantaine dont le visage n'est pas harmonieux. Le premier résulte d'un caractère doux et gai et le deuxième de la passion et du mécontentement.

Tout comme vous ne pouvez avoir une maison agréable sans laisser entrer l'air et le soleil dans les pièces, vous ne pouvez avoir un corps résistant et une expression gaie, joyeuse et sereine sans un esprit gai, serein et volontaire.

Sur les visages des vieillards, on peut voir des rides de sympathie ; sur d'autres, les rides reflètent des pensées pures ou, au contraire, les affres de la passion : qui ne peut faire la différence ? Ceux qui ont mené une vie droite, ont une vieillesse calme, tranquille et agréable comme un soleil couchant. J'ai assisté récemment un philosophe sur son lit de mort. Il n'était pas vieux, sinon par le nombre de ses années. Il est mort aussi doucement et aussi tranquillement qu'il avait vécu.

Il n'y a pas de meilleur médecin que des pensées réconfortantes lorsqu'il s'agit d'éliminer les maux physiques ; aucun réconfort ne vaut celui de la volonté lorsqu'il s'agit de chasser tristesse et ennui. Vivre continuellement dans la mauvaise volonté, le cynisme, la suspicion et l'envie, c'est se confiner dans une prison que l'on se fait soi-même. Avoir des pensées positives, réconforter tous ceux qui nous entourent, rechercher avec patience le bon côté de tout et tous, c'est arriver lentement aux portes du paradis ; maintenir, jour après jour, des pensées paisibles envers toutes les créatures qui nous entourent, c'est s'assurer de la paix pour nous-même.

*La pensée et le but*

## La pensée et le but

Tant que la pensée n'est pas liée à un but, il n'existe aucune réalisation intelligente. Dans la majorité des cas, la pensée dérive sur l'océan de la vie. Le manque d'ambition est un vice et celui qui ne tient pas à atteindre la catastrophe et la destruction doit interrompre cette dérive.

Ceux qui n'ont pas de but dans la vie deviennent vite la proie des soucis, de la peur, des ennuis; ils s'apitoient sur leur sort; il s'agit là d'indices de faiblesse qui mènent tout aussi sûrement que le péché (bien que par un chemin différent) à l'échec, au malheur et à la perte, car la faiblesse ne peut persister dans un univers basé sur la puissance.

Tout homme doit se fixer un but et s'atteler à l'atteindre. Ce but doit être le point central de ses pensées. Il peut prendre la forme d'un idéal spirituel, d'un objet matériel, selon ses dispositions du moment; mais quel que soit ce but, il devrait concentrer les forces de sa pensée sur l'objet désiré. Ce but devrait être sa tâche suprême, il doit se consacrer à l'atteindre sans jamais laisser ses pensées errer vers des fantaisies passagères, des désirs temporaires.

C'est là le chemin royal vers la maîtrise de soi et la véritable concentration mentale. Même s'il échoue à plusieurs reprises (comme cela se doit tant que la faiblesse n'est pas vaincue), la *force de caractère ainsi acquise* sera la mesure du succès *réel;* à partir de ce point, il pourra prendre un nouveau départ vers une puissance et un triomphe futurs.

Ceux qui ne sont pas prêts à se fixer un but *grandiose* devraient se concentrer à réaliser leur tâche de façon parfaite, peu importe la petitesse de la tâche qu'ils accomplissent. C'est de cette façon que l'on apprend à se concentrer, que l'on peut développer résolution et énergie qui permettent ensuite d'entreprendre n'importe quelle tâche.

L'âme la plus faible, reconnaissant sa propre faiblesse et cette vérité, à savoir que *la force ne peut s'acquérir que par l'effort et l'entraînement*, commencera dans l'épuisement, mais ajoutant effort sur effort, patience sur patience et force sur force, sans jamais cesser de se développer, atteindra enfin la force divine.

Tout comme un homme faible physiquement peut s'entraîner et se développer, celui moralement faible peut devenir fort en s'entraînant à des pensées justes.

Pour laisser tomber cette tendance au manque d'ambition et à la faiblesse, pour se fixer un but, il faut se décider à joindre les rangs des hommes volontaires pour qui l'échec n'est qu'un chemin menant à la réussite ; ils utilisent les conditions, leurs pensées sont toujours volontaires, ils n'ont pas peur d'essayer et ils réalisent de main de maître.

Lorsqu'il s'est fixé un but, l'homme devrait se tracer, mentalement, le *droit* chemin qui y mène et ne jamais le quitter. Les doutes et la crainte doivent absolument être exclus ; ce sont des éléments destructeurs qui brisent la ligne de l'effort, qui la tordent, la rendant inefficace et inutile.

La crainte et la peur n'ont jamais engendré et n'engendreront jamais quoi que ce soit de positif. Elles mènent toujours à l'échec. L'ambition, l'énergie, la volonté et la force disparaissent lorsqu'interviennent le doute et la peur.

La volonté de la réalisation vient de la connaissance que nous *pouvons* réaliser. Le doute et la peur

sont les deux plus grands ennemis de
la connaissance et celui qui les encourage, celui qui ne les chasse pas
de son esprit, se condamne à buter à
chaque pas.

Celui qui a réussi à conquérir le
doute et la peur a réussi à conquérir
l'échec. Chacune de ses pensées est
liée à la puissance, il fait face aux
difficultés avec courage et il les
déjoue avec sagesse. Ses buts sont
solidement enracinés, ils fleurissent
et lui apportent les fruits qui ne
tomberont pas prématurément par
terre.

Les pensées liées sans peur aux
buts se transforment en force créatrice : celui qui *sait* cela est prêt à
devenir quelque chose de plus haut,
de plus fort qu'un simple amas de
pensées flottantes et de sensations

changeantes; celui qui *suit* ce principe est le maître conscient et intelligent de sa puissance spirituelle.

*La pensée et la réussite*

## La pensée et la réussite

Tout ce qu'un homme réussit et
tout ce qu'un homme ne peut réussir
dépend directement de ses pensées.
Dans un univers bien ordonné, où la
perte de l'équilibre équivaudrait à
une destruction totale, la responsa-
bilité individuelle doit être absolue.
La faiblesse et la force d'un homme,
sa pureté et son impureté sont
siennes et non pas celles des autres;
c'est lui qui les attire, ce n'est pas un

autre ; lui seul peut les modifier et personne d'autre. Sa condition est également sienne et n'appartient pas à un autre. Ses souffrances et ses joies viennent de lui. L'homme est ce qu'il pense ; il demeure ce que sont ses pensées.

Un homme fort ne peut en aider un plus faible à moins que ce dernier *veuille bien* se faire aider ; mais même dans un tel cas, le faible doit se fortifier ; il doit, par ses propres efforts, acquérir la force qu'il admire ailleurs. Personne, en dehors de lui-même, ne peut modifier sa condition.

On a longtemps pensé et dit : « S'il existe des esclaves c'est qu'il existe des opprimants ; qu'on détruise les opprimants. » Il existe maintenant une pensée contraire, à savoir : « Si un homme devient opprimant, c'est qu'il existe des esclaves ; les esclaves sont méprisables. » La vérité est qu'opprimés et opprimants sont é-gaux dans l'ignorance et, bien qu'ils semblent se faire du mal les uns aux autres, c'est en fait à eux seuls qu'ils nuisent. Une Connaissance parfaite voit l'action de la loi dans la faiblesse des opprimés et la puissance mal utilisée de l'opprimant ; un Amour parfait, voyant les souffrances que ces deux conditions entraînent, ne condamne ni l'un, ni l'autre ; une Compassion parfaite étreint et l'op-primant et l'opprimé.

Celui qui a vaincu la faiblesse, qui n'a plus aucune pensée égoïste, n'ap-partient ni à l'un, ni à l'autre groupe. Il est libre.

Un homme ne peut s'élever, conquérir et réussir qu'en améliorant ses pensées. Il ne reste faible et abject et malheureux qu'en refusant de s'améliorer.

Avant qu'un homme puisse réussir dans une entreprise quelconque, même matérielle, il doit amener ses pensées à des préoccupations plus élevées que celles de l'animal. Il peut, afin de réussir, ne pas abandonner *toutes* tendances animales et égoïstes ; mais il doit en sacrifier une bonne partie. Un homme se complaisant dans des pensées bestiales ne peut penser avec précision, ni planifier avec méthode ; il ne peut définir et développer ses ressources latentes et ne réussira aucune entreprise ; s'il ne peut contrôler ses pensées, il ne peut prendre ses affaires en main et assumer des responsabilités sérieuses. Il est incapable d'agir seul et de façon indépendante. Mais il n'en est en fait limité que par les pensées qu'il décide de nourrir.

Il ne peut y avoir de progrès ni de réussite sans sacrifice ; la réussite matérielle d'un homme se mesure par les sacrifices qu'il fait de ses pensées mauvaises, par la concentration de son esprit sur le développement de ses plans et par la force de ses résolutions et de sa confiance. Plus ses pensées seront élevées, plus juste il deviendra et plus son succès sera grand, plus ses entreprises seront heureuses et durables.

L'univers ne favorise pas les avides, les malhonnêtes, les vicieux, bien que l'on puisse parfois penser le contraire ; il aide l'homme honnête, le magnanime, le vertueux. Tous les plus grands sages de tous les temps nous l'ont dit, sous diverses formes et pour le prouver et le savoir, un homme doit persister à s'améliorer en améliorant ses pensées.

Les réussites intellectuelles résultent d'un esprit consacré à la recherche de la connaissance, ou de ce qui est beau et vrai dans la nature et dans la vie. De telles réussites sont parfois liées à la vanité et à l'ambition, mais elles ne découlent pas de ces caractéristiques ; elles viennent d'efforts longs et soutenus, et de pensées pures et altruistes.

Les réussites spirituelles représentent l'achèvement d'aspirations sacrées. Celui qui vit constamment dans la conception de pensées nobles et élevées, qui se maintient dans tout ce qui est pur et désintéressé deviendra, aussi sûrement que le soleil arrive au zénith et que la lune est pleine, d'un caractère noble et sage et atteindra une position d'influence et heureuse.

La réussite, quelle qu'elle soit, est le couronnement de l'effort, le diadème de la pensée. Par la maîtrise, la résolution, la pureté, la justesse et des pensées bien dirigées, un homme s'élève ; par des pensées confuses, l'indolence, l'impureté, la corruption, un homme s'abaisse.

Un homme peut atteindre les plus grands succès et les niveaux les plus élevés du royaume spirituel, mais il peut se retrouver à nouveau dans l'infortune et la faiblesse en laissant des pensées arrogantes, égoïstes et corrompues prendre possession de son esprit.

Les victoires atteintes ne peuvent être maintenues que par la plus grande attention. Beaucoup abandonnent leurs pensées au moment où ils croient que le succès leur est assuré et retombent ainsi dans l'échec.

Toutes les réussites, qu'elles soient en affaires, intellectuelles ou spirituelles, sont le résultat d'une pensée bien dirigée ; elles sont dirigées par la même loi et dépendent de la même méthode ; la seule différence réside au niveau du but à atteindre.

Celui qui réussit peu sacrifie peu ; celui qui veut atteindre des buts éloignés doit sacrifier beaucoup ; celui qui veut aller encore plus haut doit sacrifier encore plus.

*Vision et idéal*

## Vision et idéal

Les visionnaires sont les sauveurs
du monde. Tout comme le monde
visible est soutenu par l'invisible, les
hommes, par leurs tentatives, leurs
péchés, leurs vocations sordides sont
nourris par les visions merveilleuses
des visionnaires solitaires. L'humanité ne peut oublier ses visionnaires ;
elle ne peut laisser les idéaux s'éva-
nouir et mourir ; elle vit en eux ; elle
sait qu'il s'agit de *réalités* qu'elle
verra et connaîtra un jour.

Les compositeurs, les sculpteurs, les peintres, les poètes, les prophètes, les sages sont tous les bâtisseurs d'un au-delà, les architectes du paradis. Le monde est beau, parce qu'ils ont vécu ; sans eux, l'humanité laborieuse périrait.

Celui qui nourrit une vision merveilleuse, un idéal élevé au plus profond de son coeur, le réalisera un jour. Colomb pensait à un autre monde et il l'a découvert ; Copernic voyait une multitude de mondes, dans un univers plus grand et il nous l'a dévoilé ; Bouddha voyait un monde spirituel sans tache et parfaitement paisible et il y est entré.

Nourrissez vos visions, alimentez vos idéaux ; entretenez la musique qui existe en votre coeur, la beauté qui se forme en votre esprit, l'amour qui entoure les pensées les plus pures, car c'est de tout cela que découlent les conditions les plus légères, l'environnement céleste; c'est à partir de tout cela, à condition d'y rester fidèle, que votre monde sera construit.

Désirer, c'est obtenir; aspirer c'est réussir. Les désirs les plus vils de l'homme devraient-ils être récompensés et ses aspirations les plus pures mourir, faute d'aliments? Telle n'est pas la Loi: on ne peut jamais en arriver à ce point: « Demandez et vous recevrez ».

Rêvez de choses élevées, et pendant vos rêves, vous deviendrez. Votre vision est la promesse de ce que vous serez un jour; votre idéal est la prophétie de ce que vous pourrez enfin découvrir.

La plus grande réussite a été longtemps un rêve. Le chêne sommeille dans un gland ; l'oiseau attend dans un oeuf ; dans la plus haute vision de l'âme, un ange remue doucement. Les rêves sont les germes de la réalité.

Les circonstances qui vous entourent peuvent parfois être antipathiques, mais elles ne le demeureront pas lontemps si vous percevez un idéal et combattez pour l'atteindre. Vous ne pouvez voyager à *l'intérieur* et rester sur place à *l'extérieur*. Prenez le cas d'un jeune opprimé par la pauvreté et le labeur ; il travaille de longues heures dans un atelier malsain ; il n'est pas éduqué, il n'est pas raffiné. Mais il rêve d'un monde meilleur : il pense à l'intelligence, au raffinement, à la grâce et à la beauté.

Il conçoit et construit mentalement, une vie idéale ; la vision d'une liberté plus grande et d'étendues plus vastes prend possession de lui ; l'agitation le pousse à agir et il consacre ses moments de loisirs et ses faibles moyens au développement de ses capacités et ressources latentes. Très vite, son esprit a tellement changé que l'atelier ne peut plus le retenir. Il est tellement en désaccord avec sa mentalité qu'il sort de sa vie comme un vêtement dont on se débarrasse, et les occasions qui se présentent en quantité, mieux adaptées à l'étendue de ses aspirations actuelles, le sortent de sa condition. Plus tard, nous revoyons ce même jeune homme devenu adulte. Il contrôle certaines forces de son esprit qu'il manie avec dextérité et avec une puissance sans égale. Il tient entre ses mains les

ficelles de responsabilités énormes ; il
parle, et le cours de plusieurs vies en
dépend ; les hommes et les femmes
l'écoutent, changent leur caractère
et, tout comme le soleil, il est le
centre lumineux autour duquel tant
de destinées tournent. Il a réalisé la
vision de sa jeunesse. Il ne fait plus
qu'un avec son idéal.

Et vous aussi, lecteur, vous pouvez réaliser la vision (et non le
souhait futile) qui se trouve dans
votre coeur, qu'elle soit basse ou
merveilleuse, ou un mélange des
deux, car vous tournerez toujours
autour de ce que, secrètement, vous
aimez le plus. Dans vos mains, vous
recevrez le résultat exact de vos
pensées ; vous aurez ce que vous
aurez mérité ; ni plus, ni moins. Quel
que soit votre environnement actuel,

vous tomberez, resterez ou vous élèverez avec vos pensées, votre vision, votre idéal.

Vous serez aussi petit que le désir qui vous contrôle ; aussi grand que l'aspiration qui domine ; comme l'a si bien dit Stanton Kirkham Davis, «Vous pouvez tenir vos comptes, et vous pouvez franchir la porte qui vous a si longtemps semblé être la barrière à vos idéaux, et vous vous trouverez devant un public — le crayon encore sur l'oreille, les taches d'encre encore sur les doigts — et le torrent de votre inspiration s'écoulera. Vous pouvez garder des moutons ou errer dans la ville — bucolique, la bouche ouverte ; vous allez errer sous la bannière intrépide de l'esprit et arriver dans la chambre du maître qui, après un certain temps, vous dira : « Je n'ai plus rien à vous apprendre ». Vous êtes maintenant le maître qui rêvait, il n'y a pas tellement longtemps, en gardant ses moutons. Et vous déposerez la scie et le rabot et prendrez sur vous-même la régénération du monde ».

Les étourdis, ignorants et indolents, qui ne voient que les effets apparents, et non pas les choses elles-mêmes, parlent de chance, de bonne fortune. Face à un homme riche, ils s'écrient : « Il a de la chance ! » Face à un intellectuel, ils déclarent : « Il est doué ». Et, remarquant le caractère bon et l'influence d'un autre, ils déclarent : « La chance est avec lui dans chacune de ses entreprises ». Ils ne voient pas les combats et les échecs que ces hommes ont rencontrés afin d'acquérir de

l'expérience ; ils n'ont aucune idée
des sacrifices qu'ils ont dû faire, des
efforts qu'il leur a fallu soutenir, de
la foi dont ils ont fait preuve afin de
surmonter l'insurmontable et de concrétiser la vision qu'ils avaient en
leur coeur. Ils ne voient pas l'ombre
et la douleur ; ils ne voient que la
lumière et la joie et c'est ce qu'ils
appellent la « chance ». Ils ne voient
pas le voyage long et difficile, mais
ne regardent que le but agréable et
l'appellent « bonne fortune » ; ils ne
comprennent pas le processus, ne
perçoivent que les résultats et pour
eux, c'est la « chance ».

Dans tout ce qui est humain, il y a
les *efforts* et il y a les *résultats*, et la
force de l'effort est la mesure du
résultat. La chance n'existe pas.
Les « dons », la puissance, les pos-

sessions matérielles, intellectuelles et spirituelles sont les fruits de l'effort ; ce sont les pensées concrétisées, les buts atteints et les visions réalisées.

La vision que vous glorifiez dans votre esprit, l'idéal qui se trouve dans votre coeur — c'est avec cela que vous construirez votre vie, c'est cela que vous deviendrez.

*Sérénité*

## Sérénité

Le calme de l'esprit est l'un des plus beaux joyaux de la sagesse. C'est le résultat d'un long et patient effort de maîtrise. Sa présence est l'indice d'une expérience murie et d'une connaissance supérieure des lois et du fonctionnement de la pensée.

Un homme est calme dans la mesure où il sait qu'il est un être évoluant à partir de sa pensée, car cette connaissance requiert la compréhension des autres; au fur et à mesure qu'il développe une juste compréhension et qu'il voit de plus en plus clairement les liens intérieurs des choses par le principe de cause à effet, l'homme cesse de s'inquiéter, de se plaindre, pour rester calme et serein.

L'homme calme, qui a appris comment se contrôler, sait comment s'adapter aux autres; et eux, à leur tour, admirent sa force spirituelle et savent qu'ils peuvent apprendre à son contact et dépendre de lui. Plus un homme est calme, plus il réussit, plus il influence et plus grande est sa puissance. Même le petit commerçant s'aperçoit que ses affaires vont mieux au fur et à mesure qu'il apprend à se contrôler, car les gens préfèrent traiter avec une personne équilibrée.

On aime et on respecte l'homme fort et calme. Il est comme l'arbre qui offre de l'ombre dans un pays chaud ou comme le rocher offrant un abri pendant l'orage. «Qui n'aime pas un coeur tranquille, une vie douce et équilibrée?

Peu importe qu'il pleuve ou que le soleil brille, ou ce qui se produit et qui bénéficie de ces joies, car elles sont toujours douces, sereines et calmes. Cet équilibre de caractère, que l'on appelle sérénité est la dernière leçon de notre culture; c'est la fleur de la vie, le fruit de l'âme. Elle est précieuse comme la sagesse, plus désirable que l'or — même l'or le plus fin. La course à la richesse est tellement banale comparée à une vie sereine — une vie qui se maintient dans l'océan de la Vérité, sous les vagues, hors de la portée des tempêtes, dans le Calme éternel!

«Combien de gens gâchent leur vie, détruisent ce qui est doux et beau par un caractère explosif, détruisent l'équilibre de leur caractère et se font du mauvais sang! Il s'agit que la majorité des gens cessent de gâcher leur vie et de troubler leur bonheur par un manque de maîtrise. Combien sont-ils, ceux que nous rencontrons au cours d'une vie, qui sont équilibrés et qui ont cette sérénité qui est la marque d'un caractère fini!»

L'humanité glisse sur ses passions incontrôlées, ses plaintes, l'angoisse et le doute. Seul le sage, celui qui contrôle et purifie ses pensées, dirige les vents et les tempêtes de son âme.

Âmes tourmentées, qui que vous soyez, quelles que soient les conditions de votre vie, sachez ceci — dans l'océan de la vie, les îles de la joie s'offrent à vous, le littoral ensoleillé de votre idéal vous sourit. Ne lâchez pas vos pensées. Dans votre âme se trouve le Maître tout-puissant; il sommeille; réveillez-le. La maîtrise est la force; la pensée juste est la maîtrise; le calme est la puissance. Dites à votre coeur: « Paix ! »

# L'enthousiasme fait la différence

Dans son nouveau livre, le docteur Peale s'attache aux problèmes d'aujourd'hui et propose des solutions étonnantes et pratiques pour y remédier. Il démontre que l'enthousiasme est l'ingrédient magique de la recette du succès et il explique:

Comment l'enthousiasme affine votre intelligence et accroît vos capacités de résoudre les problèmes - Comment l'enthousiasme fait naître la motivation puissante qui provoque les événements - Comment l'enthousiasme développe et entretient la qualité de détermination qui vous aide à surmonter la peur et vous donne de l'assurance.

L'enthousiasme est l'ingrédient magique qui vous permettra: de convaincre les autres - de surmonter vos peurs - de réduire vos tensions - d'analyser vos problèmes - de rendre votre travail plus intéressant.

**10,95$**

**En vente chez votre libraire**

Les éditions Un monde différent ltée
3400, boulevard Losch, local 8
Saint-Hubert, QC
Canada J3Y 5T6

# La magie de croire

Dans ce livre vous découvrirez une description complète de toutes les étapes menant à n'importe quel but. Vous verrez comment puiser dans un vaste réservoir de pouvoir mental qui vous propulsera vers vos objectifs.

Écrit par un homme d'affaires qui a constaté l'efficacité de telles méthodes et pour des centaines de professionnels du monde des affaires, ce livre vous enseignera qu'il vous est possible d'être plus compétent, d'avoir plus d'influence dans vos rapports avec les autres en faisant passer votre subconscient à l'action pratique par le procédé de la vision mentale.

**7,95 $**

**En vente chez votre libraire**

Les éditions Un monde différent ltée
3400, boulevard Losch, local 8
Saint-Hubert, QC
Canada J3Y 5T6

# Rendez-vous au Sommet!
## "See you at the top"

Les Editions « UN MONDE DIFFÉRENT » LTÉE. vous offrent un livre de motivation qui vous aidera à RÉUSSIR VOTRE VIE et RÉUSSIR DANS LA VIE. Un véritable « tune-up » pour votre esprit.

A être lu par les étudiants, universitaires, éducateurs, parents, homme d'affaires, chefs d'entreprise, professionnels et tous ceux qui font affaires avec les gens. En résumé, POUR VOUS !

Cette lecture vous apportera :

- **VOUS** verrez votre attitude prendre de l'altitude ;
- **VOUS** vous verrez à avoir confiance et à sourire à la vie;
- **VOUS** vous aimerez et apprécierez davantage ;
- **VOUS** ne serez pas que motivé mais vous comprendrez pourquoi et comment ;
- **VOUS** comprendrez pourquoi vous fixer des buts ;
- **VOUS** réfléchirez sur le sens de votre vie et la direction dans laquelle vous voyagez.
- **VOUS** saurez que vous pouvez obtenir tout ce que vous voulez de la vie si vous aidez assez de gens à obtenir ce qu'ils désirent.

Commandez une ou plusieurs copies chez votre libraire OU appelez à la maison d'édition. $7.95 l'unité, escompte pour quantité.

Les éditions Un monde différent ltée
3400, boulevard Losch, local 8
Saint-Hubert, QC
Canada J3Y 5T6

# APRÈS LA PLUIE, LE BEAU TEMPS!

Dès aujourd'hui, transformez vos rêves en réalités.

Aussi difficiles que soient les temps, Dieu vous offre le potentiel du bonheur, de la santé et de la prospérité. Robert Schuller vous montre comment vous former une image positive de vous-même et libérer vos puissances créatrices.

Quel que soit le problème qui vous écarte de la réussite, vous pouvez transformer le négatif en positif. Énoncez votre problème et vous obtenez là une possibilité de vous grandir.

Robert Schuller associe foi dynamique et conseils pratiques pour contrôler créativement vos problèmes, à commencer par la prière la plus importante que vous ayez jamais faite qui vous permet de savoir quand persévérer et quand renoncer.

**11,95$**

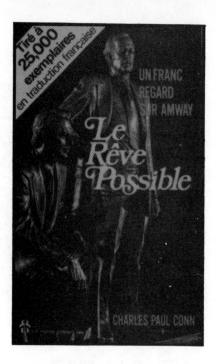

# Le Rêve Possible

Ce livre qui s'est vendu à plus de 250 000 exemplaires aux États-Unis a été onze semaines sur la liste «bestseller» du New York Times.

Le rêve de Rich DeVos et de Jay VanAndel était de fonder une société qui offrirait à quiconque le voudrait la chance de transformer son existence. Leur rêve était d'offrir à ceux qui étaient prêts à la gagner par leur travail, la chance de se lancer en affaires pour leur propre compte, d'établir leurs propres objectifs et d'assurer eux-mêmes leur avenir. Cela, disaient-ils, est la manière américaine... le commerce Amway ne prétend pas offrir à tout le monde un succès assuré. Elle ne peut pas offrir un remède automatique aux problèmes financiers de chaque distributeur. Mais elle offre au moins à la personne moyenne la possibilité d'améliorer son sort. Elle offre un rêve - pas seulement un rêve - mais un rêve possible.

**6,95 $**

**En vente chez votre libraire**

Les éditions Un monde différent ltée
3400, boulevard Losch, local 8
Saint-Hubert, QC
Canada J3Y 5T6

Achevé d'imprimer
en août mil neuf cent quatre-vingt-quatre
sur les presses de l'Imprimerie Gagné Ltée
Louiseville - Montréal.
Imprimé au Canada